D'AUTRES COMPLIMENTS POUR MINI-SOURIS!

« Hardie, futée...
Mini-Souris est ici
pour de bon. »
— The Horn Book Magazine

« Les jeunes lecteurs
tomberont sous
le charme. »
— Kirkus Reviews

« Le duo créatif frère-sœur frappe dans le mille
avec humour et fraîcheur. Leurs personnages sont
si authentiques qu'on croirait de vrais enfants. »
— Booklist

« Mini-Souris est audacieuse et
ambitieuse, même si elle met
parfois les pieds dans le plat. »
— School Library Journal

Ne manque surtout pas les autres Mini-Souris!

Déjà parus :

N° 1 Mini-Souris : Reine du monde
N° 2 Mini-Souris : Notre championne

MINI-SOURIS
NOTRE CHAMPIONNE

JENNIFER L. HOLM ET MATTHEW HOLM
TEXTE FRANÇAIS D'ISABELLE ALLARD

Éditions
■SCHOLASTIC

OUAH! ENNUYANT!

Catalogage avant publication de Bibliothèque et Archives Canada

Holm, Jennifer L.

    Mini-Souris : notre championne / auteure, Jennifer L. Holm; illustrateur, Matthew Holm ; traductrice, Isabelle Allard.

(Mini-Souris)

Traduction de : Babymouse : our hero.

ISBN 978-1-4431-2669-4

    I. Romans graphiques. I. Holm, Matthew II. Allard, Isabelle III. Titre. IV. Titre: Notre championne. V. Collection: Holm, Jennifer L. Mini-souris.

PZ23.7.H65Minn 2013   j741.5'973   C2013-900178-6

Édition publiée par les Éditions Scholastic, 604, rue King Ouest, Toronto (Ontario) M5V 1E1 avec la permission de Random House of Canada Limited.

5 4 3 2 1   Imprimé au Canada 139   13 14 15 16 17

DRRRRRING!

17

MINI-SOURIS SE DEMANDE SI ELLE PARVIENDRA A DESTINATION.

JE N'Y ARRIVERAI PAS.

LE CHEMIN EST LONG ET POUSSIÉREUX.

ELLE SE DEMANDE SI ELLE FINIRA PAR ARRIVER.

EST-CE QU'ON Y EST BIENTÔT?

PLUS QUE 3 000 KILOMÈTRES!

MAIS ILS SONT EN QUÊTE D'UNE VIE MEILLEURE.

... ET DU CASIER!

45

69

LA BATAILLE BAT SON PLEIN DURANT DES JOURS.

PRÉPARE-TOI POUR LE PROCHAIN MINI-SOURIS!